¡FUI YO!

Los piratas pueden ser honrados

Puede consultar nuestro catálogo en
www.edicionesobelisco.com / www.picarona.net

¡Fui yo!
Texto: *Tom Easton*
Ilustraciones: *Mike Gordon*

1.ª edición: junio de 2016

Título original: *I did it!*

Traducción: *Joana Delgado*
Maquetación: *Montse Martín*
Corrección: *M.ª Ángeles Olivera*

Edita: Picarona, sello infantil de Ediciones Obelisco, S. L.
Pere IV, 78 (Edif. Pedro IV) 3.ª planta 5.ª puerta
08005 Barcelona - España
Tel. 93 309 85 25 - Fax 93 309 85 23
E-mail: picarona@picarona.net

ISBN: 978-84-16117-70-3
Depósito Legal: B-25.414-2015

Printed in China

¡FUI YO!

Los piratas pueden ser honrados

Texto:
Tom Easton

Ilustraciones:
Mike Gordon

 Picarona

Hay días en que lo mejor que uno puede hacer es quedarse en la cama. Pero para el pobre Davy Jones, justo el día en que se rompió su hamaca, quedarse en la cama no era la mejor opción. Aquel día no le pudo ir peor.

El capitán Cod pidió a Davy que limpiara las balas
de cañón que había bajo la cubierta del barco.
—Pero, capitán -dijo Davy-, limpiar balas
de cañón es el peor trabajo del barco.

—Lo siento, Davy -afirmó el capitán-, pero insisto:
tienes que limpiar las balas de cañón.
¡Y ten cuidado de que no se te caiga ninguna!

Davy bajó a la bodega y, al ver la enorme pila
de balas de cañón que había, lanzó un suspiro.
—Están grasientas, son muy pesadas
y hay muchísimas —se dijo a sí mismo—.
¡Voy a tardar una eternidad!

Pero no podía hacer otra cosa.
Así que se puso manos a la obra.
Las restregó, las maldijo y las abrillantó.
Y cuanto más limpias estaban
las balas, más sucio estaba él.

7

A medida que iba transcurriendo el día, Davy
se iba sintiendo más cansado y hambriento.
Empezó a soñar con la idea de darse un maravilloso
baño de burbujas antes de cenar. Y tan metido
estaba en sus ensoñaciones que dejó caer una bala
especialmente pesada sobre el dedo gordo del pie.

Davy comenzó a dar saltos mientras
se agarraba el pie y decía palabrotas. Enseguida,
la bala de cañón salió rodando y se coló
por una trampilla que estaba abierta.

Fue corriendo a ver adónde había ido a parar. ¡Oh no!

La bala había caído por la trampilla y había roto el casco del barco.

El agua empezó a borbotear y a entrar por el agujero del casco.

Justo entonces, Davy oyó que llegaba
el capitán. Presa del pánico,
cerró de golpe la trampilla.

—¿Va todo bien, Davy? -preguntó el capitán.

—Eeeeh, sí, mi capitán -contestó Davy-. Ya casi he acabado.

—Ah, muy bien hecho –respondió el capitán–.
Me gusta que las balas estén bien limpias. Esta noche
tendrás una ración extra de salchichas. Venga,
deja las que faltan y vamos a comer.

Pero Davy no pudo comer, puesto que estaba muy preocupado por el agujero del casco del barco. ¿Por qué no se lo había contado al capitán?
—¿Va todo bien, Davy? –quiso saber amablemente Sam–. ¿No te has dado cuenta de que Pete te está robando tus salchichas?

—Todo va bien —respondió Davy de inmediato—. Es que estoy cansado. Creo que hoy me acostaré pronto.

Pero nada iba bien. Davy no podía dormir.
¿Y si el barco se hundía? Pero era muy violento
contárselo al capitán. Después de todo,
el capitán le había advertido que fuera
con cuidado. Se sentía muy estúpido.

Con las primeras luces del alba, Davy bajó
despacio de la hamaca, con mucho cuidado
de no despertar a Tom, y se dirigió
a la bodega.

Al abrir la trampilla, vio que la bodega estaba llena
de agua. El *Pato dorado* avanzaba lentamente
por un mar tormentoso. Se estaban hundiendo.
—Tengo que confesar lo que ha pasado –se dijo.

Armado de valor,
fue a ver al capitán.
—Lo siento mucho, capitán –empezó a hablar
con rapidez–, pero ayer se me cayó una bala
de cañón y se hizo un agujero en el casco. No dije
nada y ahora la bodega está llena de agua.
Lo siento mucho, muchísimo.

—¡Por mil millones de miles de naufragios! ¡Eso es terrible! ¡TODO EL MUNDO A LA BODEGA! –gritó el capitán.

El resto de piratas llegó corriendo
y frotándose los ojos.
—¿Qué pasa, capitán? –preguntó Pete.
El capitán les contó
lo que había sucedido.

—Lo siento mucho, mucho, muchísimo –dijo Davy.
—No hay tiempo para lamentaciones –bramó
el capitán–. ¡Tenemos que salvar el barco!

—Nell, zambúllete y tapona el agujero —ordenó
el capitán—. Pete y Sam, empezad a achicar agua.
Davy, tú ven conmigo

Nell se zambulló y taponó el agujero
con un par de bombachos viejos.

Pete y Sam achicaron agua con unos enormes baldes.

Davy tensó las velas, y, mientras, el capitán
se hizo cargo del timón y condujo el barco
a aguas más tranquilas. Juntos, trabajando
en equipo, ¡los piratas salvaron el barco!

—Siento mucho que se me cayera la bala
de cañón –dijo Davy más tarde.
—Todos cometemos errores –contestó Nell,
todavía empapado en agua de mar–.
De todos modos necesitaba un baño.

—Debería haber contado lo que me pasó
—se excusó Davy con la mirada baja.
—Sí —afirmó el capitán—, deberías haberlo contado,
pero fuiste valiente confesándolo,
y eso salvó el barco.

—¡Y ahora que ya hemos conseguido
sacar todo el agua de la bodega
–prosiguió el capitán–, tenemos
las balas de cañón más limpias
de los siete mares!

NOTAS PARA PADRES Y MAESTROS

Piratas al rescate

Los cuentos de la serie «Piratas al rescate» están pensados para ayudar
a los niños a reconocer virtudes como la generosidad, la honradez, la cortesía
y la amabilidad. Su lectura les mostrará que sus actos y su comportamiento tienen
un efecto real en las personas que les rodean, y además les ayudará a discernir
lo que está bien y lo que está mal, así como a pensar cómo hacer
frente a situaciones difíciles.

¡Fui yo!

Este cuento tiene como objetivo proporcionar una lectura atractiva
y divertida a niños de entre 4 y 7 años. El libro les ayudará a reconocer la importancia
de ser sinceros y a comprender que admitir la culpa no tan sólo es lo más correcto,
sino también la mejor opción a largo plazo.

Enseñar a los niños a ser sinceros requiere su tiempo y es probablemente una lección
continua, que lleva sus años. Lo natural en muchos niños es negar la responsabilidad
de los hechos y también la culpa. Hay niños pequeños que por norma suelen contar
mentirijillas, mientras que otros tienen tendencia a narrar la historia con detalles,
aunque no sea necesario. Es importante que aprendan que ser honestos
implica también tener buenos modales.

Regañar a los niños que hacen cosas mal hechas, como hacer daño a otro o estropear
cosas, es correcto y necesario, pero a veces los pequeños temen que esas faltas lleguen
a oídos de los mayores. Es importante que los padres sepan transmitirles que la honradez
y la sinceridad son, en sí mismas, virtudes que ayudan a atenuar el daño causado.

Acostumbrad a agradecer a vuestros hijos su sinceridad, explicadles que ser sinceros
no soluciona el error, pero que aceptar la culpa hace que el castigo sea más leve.
Por ejemplo: «Mamá aún está enfadada, pero si no hubieras admitido tu culpa,
aún lo estaría más».

Sugerencias

Pide al niño que se ponga en el lugar de Davy cuando descubre que la bala de cañón ha causado un agujero. ¿Cómo se siente cuando se despierta y descubre que el barco corre peligro de hundirse? ¿Cuál es la consecuencia de su confesión? Hablad con él del modo en que reacciona la tripulación. ¿Por qué cree que el capitán decide no castigar a Davy?

Explícale muy bien lo que es la honradez y lo que significa mentir. Inculca a tu hijo el deseo de hacer lo correcto. Haz una tabla con todas las virtudes que se os ocurran a los dos para poder evaluarlas. Cada vez que tu hijo sea sincero, coloca un adhesivo en la tabla para marcar y puntuar la virtud correspondiente.

Valora y elogia los actos de honradez de tus hijos, por pequeños que sean. Dile a tu hijo: «Me gusta que hayas sido sincero y que me dijeras que fuiste tú el que derramó la bebida. Ahora lo limpiaremos todo los dos juntos».

Hay niños que cuando aprenden el valor de ser sinceros entran la fase de contar historietas; háblales de la responsabilidad personal. Para un niño puede ser difícil decidir cuándo explicarle al maestro el mal comportamiento de los compañeros y cuándo no. Explícale que aceptar una responsabilidad significa a veces solucionar las cosas uno mismo.

No te olvides de ser sincero con tu pareja o con tus hijos mayores. Haz gala de ello. Evita mentir a tus hijos, incluso en temas difíciles como las enfermedades o la muerte. Si rompes un vaso o te dejas abierta la pasta de dientes ¡admítelo! Los niños pequeños suelen observar e imitar el comportamiento de los adultos. Cuéntales lo que harás y el porqué, por ejemplo: «Papá ha roto el jarrón favorito de mamá. Se lo voy a decir cuando llegue del trabajo y le compraré uno nuevo».

31

Las princesas se lastiman las rodillas

¡Esta princesa NO es una princesa cualquiera! ¡Es tan activa que juega al fútbol, practica yoga, se cae patinando sobre hielo y se destroza las rodillas!

En este encantador cuento se muestra a los niños que no pasa nada por caerse intentando hacer cosas nuevas. ¡Lo que cuenta es la diversión y el hecho de haberlo intentado!

Nuestra princesa, tras muchos golpes y canastas perdidas, descubre que lo que de verdad importa es hacer las cosas de la mejor manera posible, aunque tengamos a nuestro hermano pequeño siguiéndonos a todas partes.

¿Las princesas usan botas de montaña?

Todas las niñas curiosas se preguntan cómo es ser una auténtica princesa. En el interior de *¿Las princesas usan botas de montaña?* hay una niña enérgica, moderna y llena de vida que tiene muchas preguntas que hacer a su madre. Al final del libro, un marco ilustrado alrededor de un espejo responde a la pregunta más importante de la niña.

Este libro brinda una dulce lección sobre la aceptación de uno mismo y anima a los niños a perseguir sus sueños y a dejar su propia huella en el mundo.

OTROS TÍTULOS DE MIKE GORDON PUBLICADOS POR PICARONA

¿Es verdad que las princesas besan a los sapos?

Vuelve nuestra princesa favorita –con botas de montaña y todo–, esta vez cargada de preguntas para su papá.

«¿Es verdad que las princesas besan a los sapos?».

Todo el mundo conoce a una princesa. Mientras esta princesa y su papá pasean por el bosque ocurre todo tipo de maravillas.

Ella descubre que, seamos quienes seamos, en el interior de cada uno de nosotros hay una princesa.

«¿Les gusta a las princesas subirse a las piedras?».

¿Las princesas tienen amigas para siempre?

¡Tu princesa favorita ha encontrado una amiga! Tú también te divertirás con estas dos niñas que disfrutan de su amistad disfrazándose, construyendo castillos, jugando con el barro y, en general, haciendo todo lo que hacen las mejores amigas.

Juntas, aprenden que ser una princesa es algo más que lucir coronas y vestidos bonitos: se trata de ser una misma y de compartir las aventuras con una amiga.

Al final del libro encontrarás las pulseras de la amistad para que las compartas con tu mejor amiga princesa.